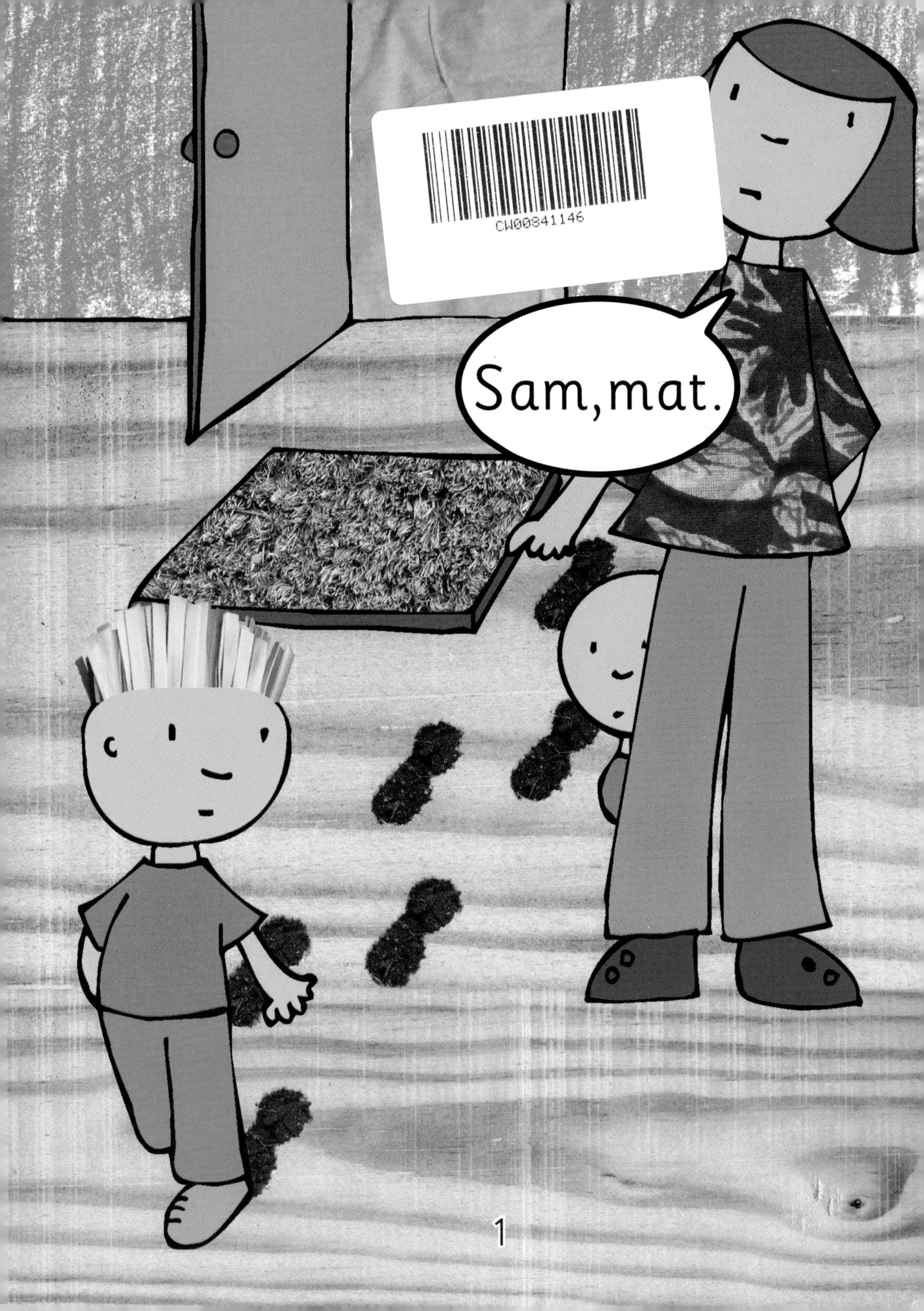
Sam, mat.

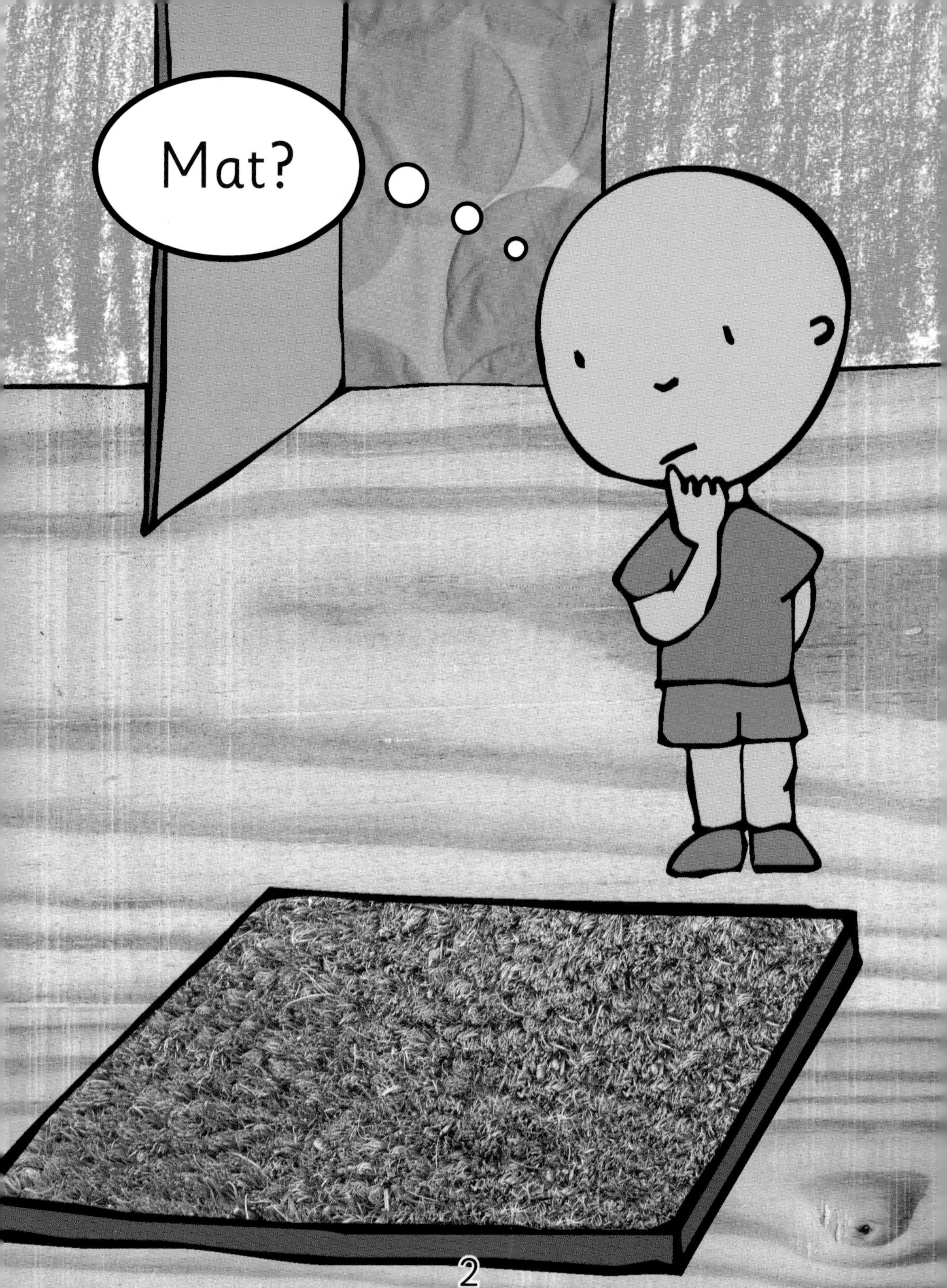
Mat?

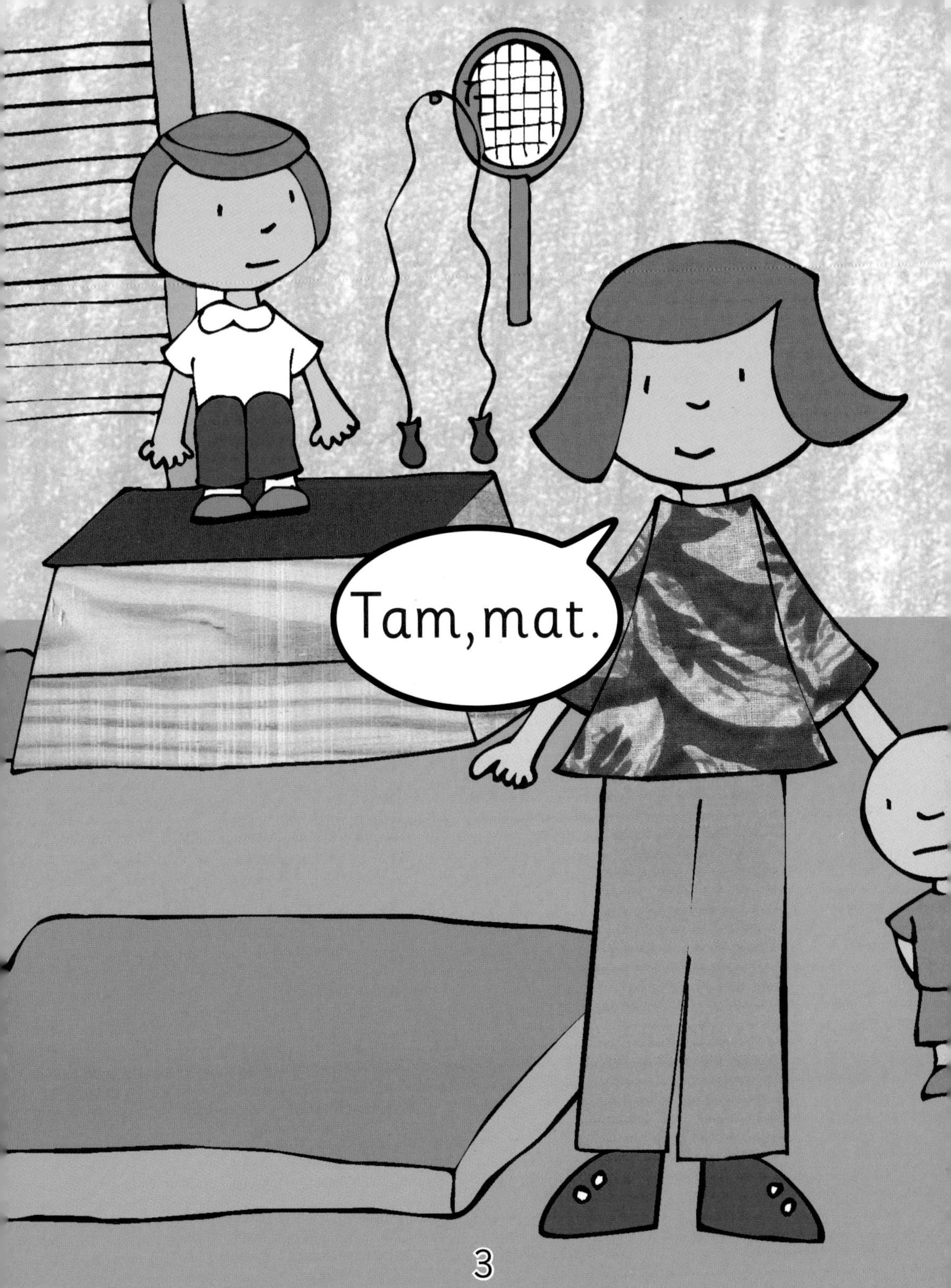
Tam, mat.

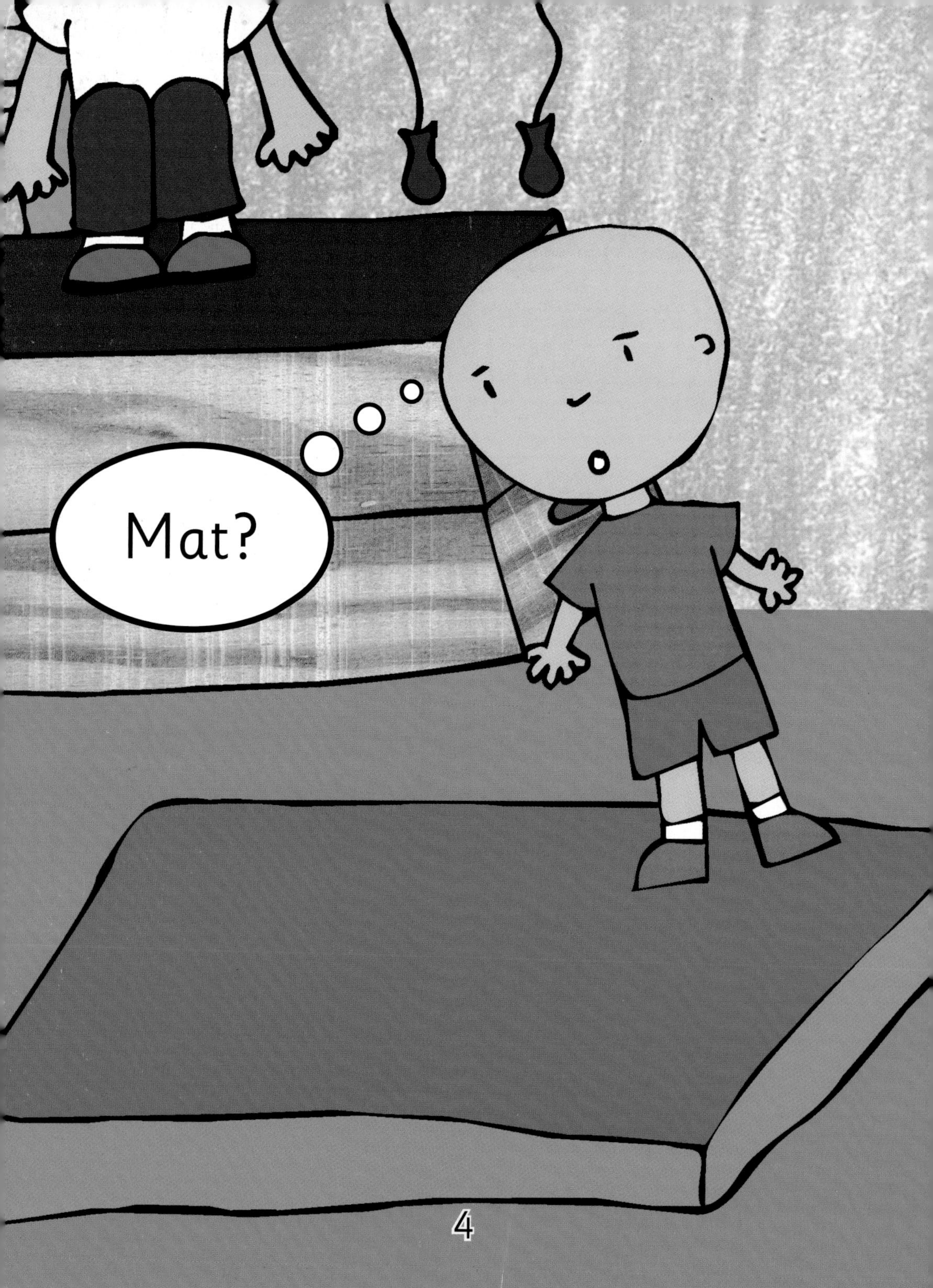
Mat?

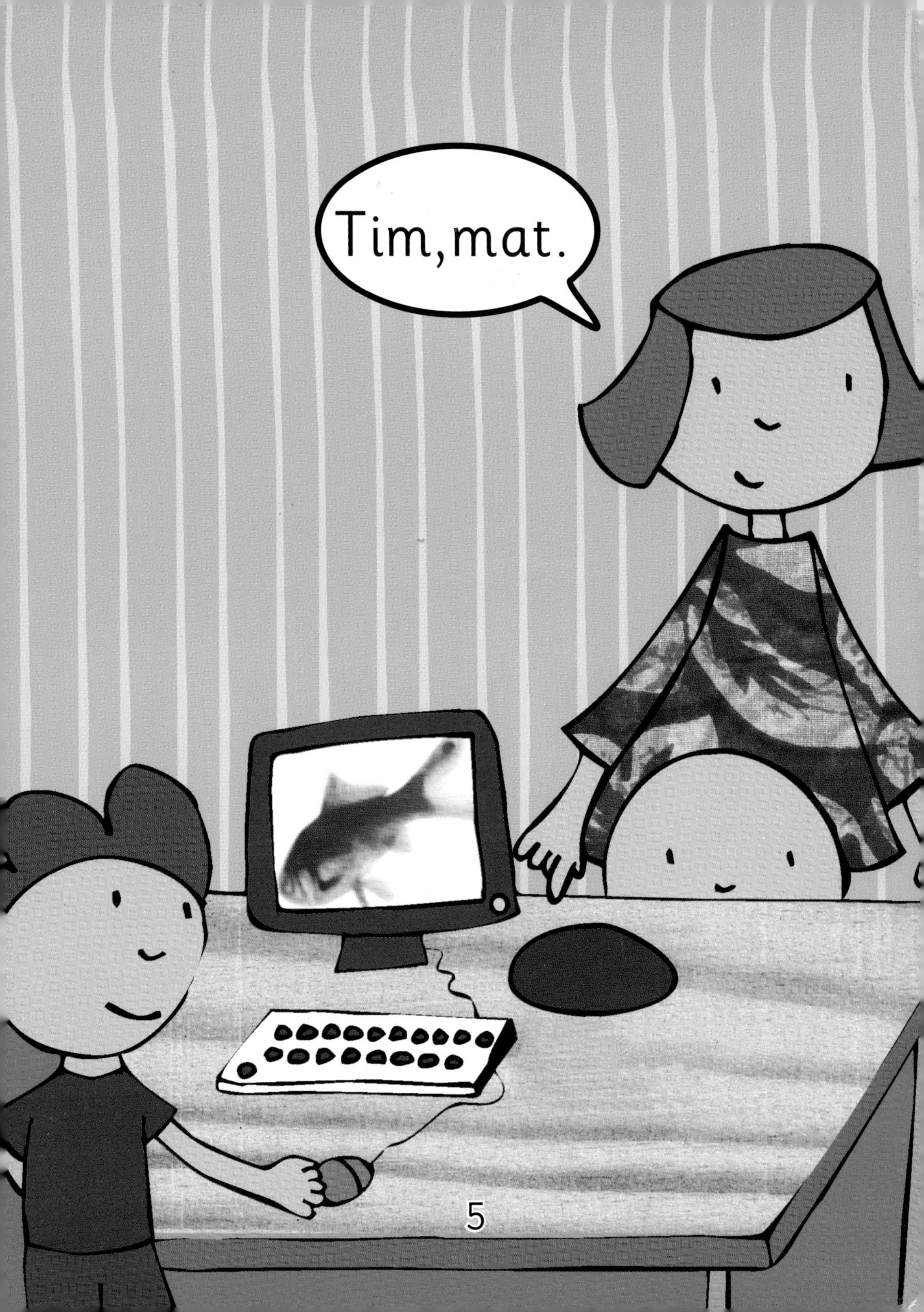
Tim, mat.

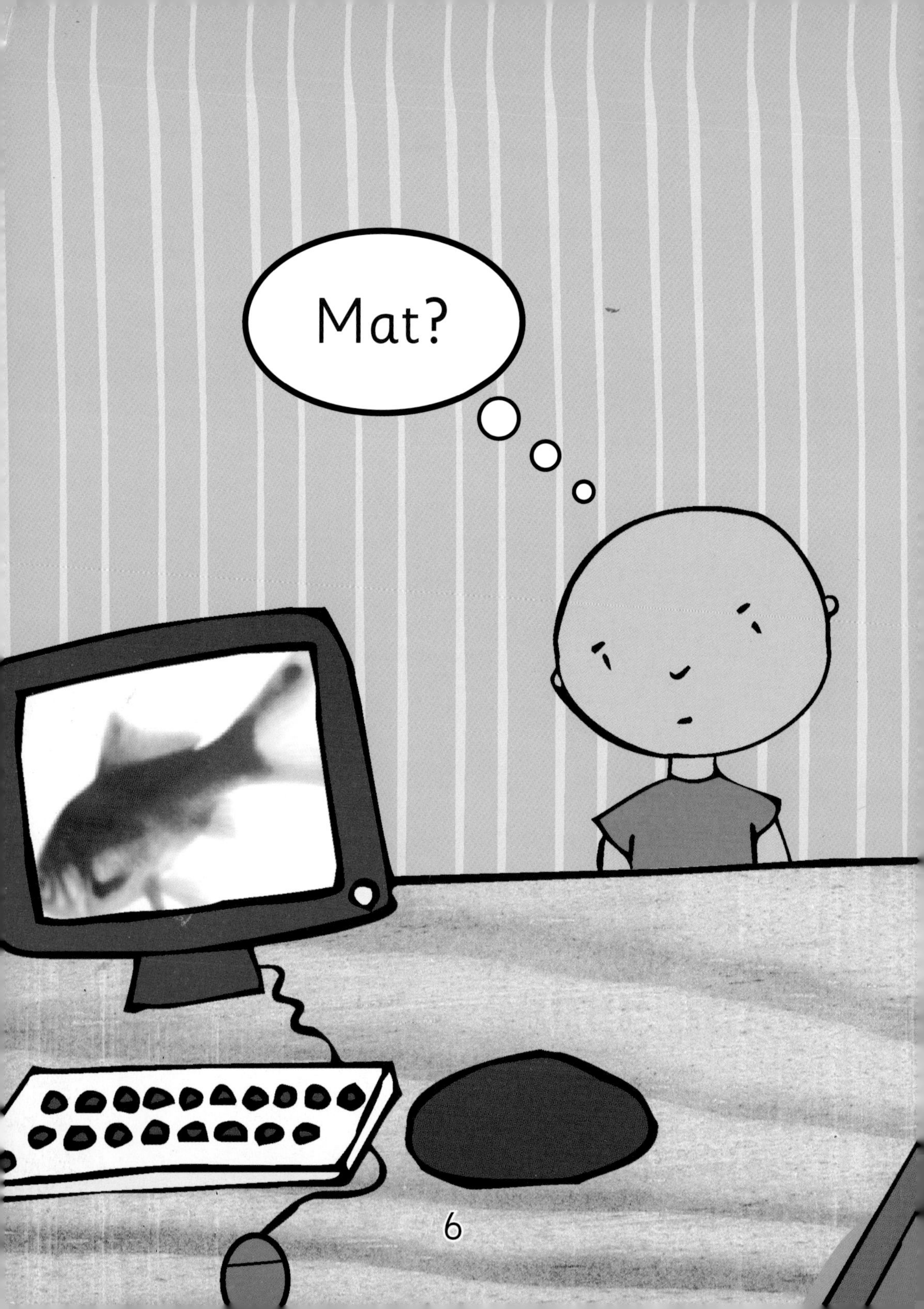
Mat?

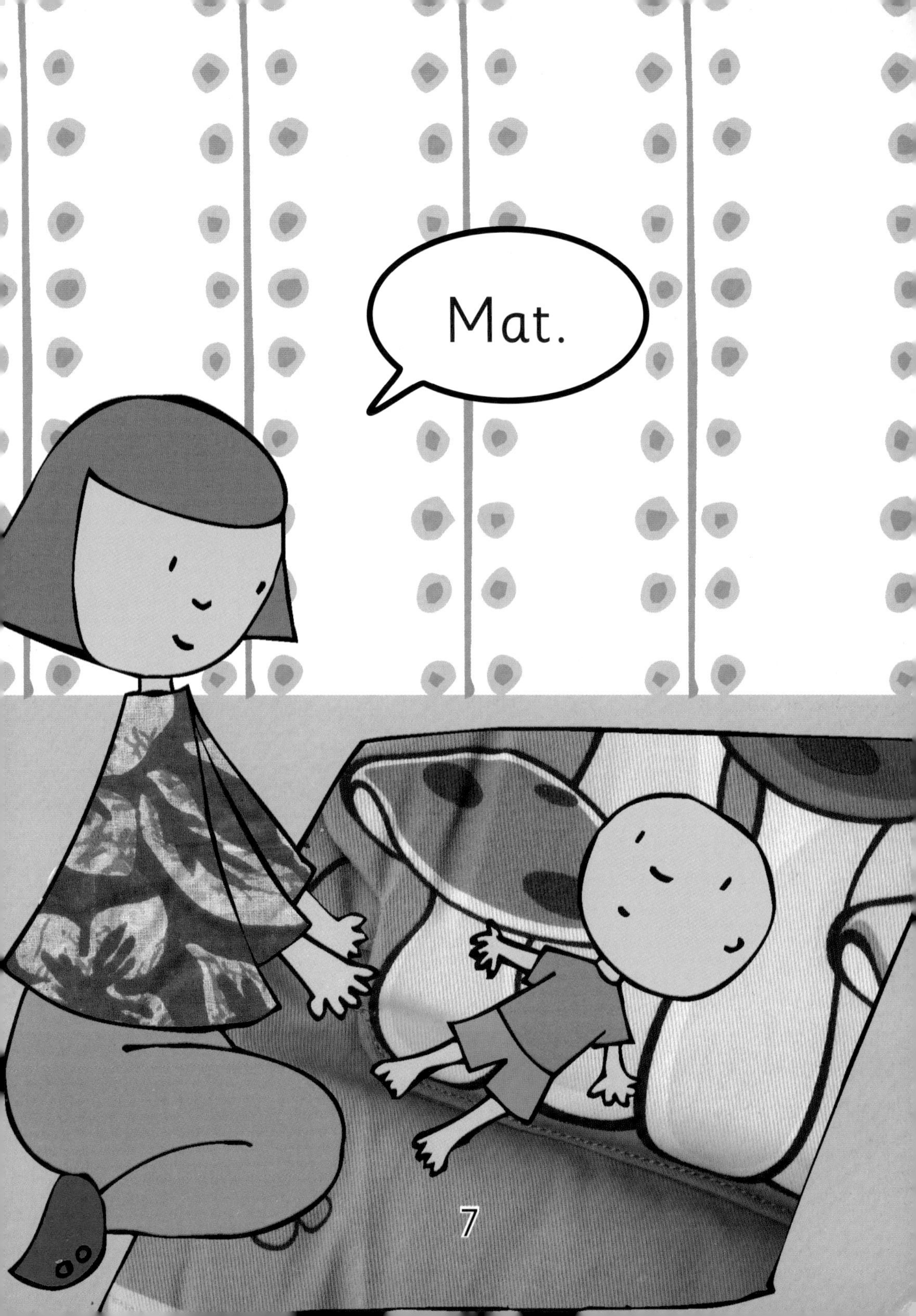
Mat.

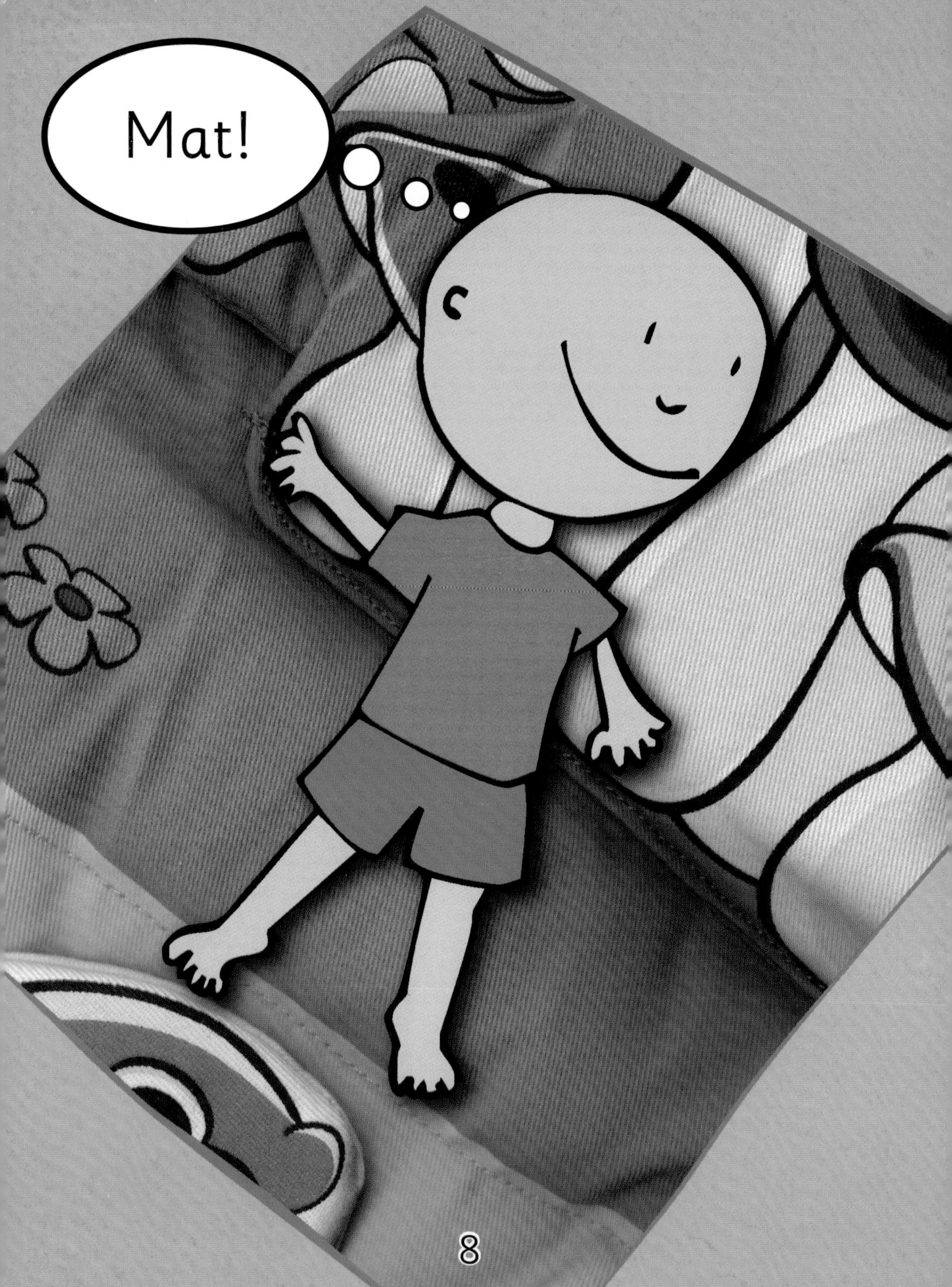
Mat!